LIVRO

LILLIAN LESSA

RESPIRANDO O AR DE OZ

Inspirado no livro
"O Maravilhoso Mágico de Oz"
de L. Frank Baum

Passou por minha casa
uma ventania
Forte, tão forte
me tornando menininha

Como Dorothy,
fui soprada a um país estranho
Lá encontrei vários amiguinhos:
Um peixe no aquário
sempre a se queixar
do quarto solitário
Uma gatinha bem mansinha
que me estendeu a patinha
E até um passarinho
que não voava, só cantava

Fiquei muito assustada ali
procurando o caminho de volta, mas
Logo me informaram dos tijolos mágicos
Era uma trilha encantada até o mago!

Eu e o peixe que carreguei com esmero em seu aquário
a gata e o passarinho caminhando
fomos em frente sempre juntos

Eu só queria conseguir voltar pra casa
O peixe queria mas temia a liberdade
A gata não sabia se defender como seus irmãos felinos
E o passarinho recordava quantas vezes tentou voar e caiu
Evidentemente, precisávamos de magia em nossas vidas

Debaixo de uma macieira
Achei um par de sapatos vermelhíssimos
que me deram sorte
Mas só achei porque de uma bruxa me livrei
Eu que nunca havia esmagado formiga!
Foi sem querer que a soprei para longe

Todos os amiguinhos tinham seus anseios
E desejavam, como eu, encontrar o tal mago
Andamos juntos tijolo por tijolo

Quando o encontramos
Percebemos que era tudo farsa
Nem era mago, era um mágico!
Mas o caminho
Ah! Esse havia nos moldado sem que nos déssemos conta
E assim, como quem no final não se desaponta
Realizamos nossos sonhos

Descobrimos dentro de nós
Que já tínhamos o que precisávamos!

O peixe durante o percurso socializou
A gata, de um escorpião nos livrou
O passarinho começou a bater asas

E eu soprei uma bruxa!

Aí o peixe nadou com outros no rio
Passarinho além de cantar, voou alto
Gatinha manteve as unhas afiadinhas
E eu encontrei uma sopa de letrinhas
Que de poesia me mostrou meu lar

BRISA MATINAL

Meu quarto outrora era inundado
Tinha peixe, tanto peixe
Que o coração dizia: deixe!

Só que tanta água me afogava
Daí comprei um aquário enorme
e os soltei no rio

No quarto limpinho,
fazia muito calor
tanto que dava dor

Daí imaginei o vento
E num é que ele soprou?!

Uma brisa matinal
com cheiro de campo, floral

O vento foi ficando mais forte
e me conduziu para dançar

Valsamos três vezes
Aí sumiu...

Mas lembrei de imaginar
de novo o vento
e assim ele ressurgiu

DANÇA DOS COQUEIROS

A dança dos coqueiros
segue o ritmo dos ventos
sem alternativa
eles dançam como escravos
nunca sabendo pra que lado
vão estar
Às vezes a gente
se não tiver cuidado
fica como os coqueiros
a dançar conforme o que é dado

AR INSTRUMENTAL

Depois que conheci o vento
Aprendi a soprar pra longe
Das fotos os negativos
Era questão de ser monge
Pensar no que está vivo

O vento me carregou
Para o norte no inverno
E aprendi a ser vento
Saí de um inferno

Encontrei meu instrumento
Larguei minhas gravatas
Usei a minha pena
Pessoal e de escrever

A tinta por vezes borrava
Mas nada estragava
O contentamento textual

Vivendo à moda antiga
Sem realidade virtual
Encontrei numas cantigas
Respiração de animal
E vendo a natureza
Refleti minha beleza

CARTAS NA VENTANIA

Nas cartas do baralho
Tive visão do futuro:
O Amor me sondava

A única pena é que
Na paciência,
Eu perdia sempre para mim

PARTÍCULAS CONTRA O VENTO

Seu sorriso lembra o meu
Como metades da mesma fruta
O tempo, esse me furta
A cor do corpo teu

Nossas sobrancelhas diferentes
A tua bondosa e intensa
A minha séria, nunca ausente
Encontrando a tua se faz imensa

Teu nariz forte complementa
O meu pequenino
E ainda que nos tragam pimenta
Teremos um cheiro de ninho

Há de ser ninho bem forte
Pra nenhum tornado levar
Haveremos de ter sorte
Pro amor não acabar

MARESIA DA OBSESSÃO

Naqueles olhos azuis verdes
Eu morreria de e com
Prazer
Pois que me matam já
De tanta sede

Aqueles olhos azuis verdes
Como mar e campo
Me inspiram tanto!

Mas
Morro de sede
Não como
Não durmo
Mudo meu turno
Não somo
Não estudo

Sinto-me à beira mar
Da América do Sul
Me falta ar
Exatamente como naquele
Maldito dia
Em que o conhecia
E me prendia a ele

DENTE DE LEÃO

Aconteceu certa vez
de cair no colo da menina
um dente de leão

Ela achou tão bonita aquela flor!
Resolveu soprar e se decepcionou
Pra longe dela ele se despedaçou

A dor daquela menina
deixou sua alma felina
e para sempre em lugares altos
ela se escondia como os gatos

Não percebia que quando se escondia
Toda gente a via!
Mas no mundo ainda havia
motivos para sorrir

Aí a felina a rir
Desabrochou, se encantou
Voltou a ser gente

Seu amor-de-homem
Como é chamado o dente de leão
Não se fez mais necessário
Encontrou no seu dicionário
Que viver nunca é em vão

NUM BALÃO

Uma melodia
com qualquer coisa de triste
me fez adormecer

Dentro do sonho,
jardins suspensos
de flores brancas e lilases
Torres arranhando o céu…

No sonho eu estava em um balão
Pelos ares a voar calmamente
Tive medo que as torres furassem ele então
E bagunçassem minha mente

Tive medo que as torres
Me trouxessem dores

Quando acordei,
Lembrei dos jardins suspensos
O céu tirava o véu
que cobria o jardim
Descobrindo assim
Novos sonhos pro balão

A VOZ QUE O VENTO ESPALHA

As mãos do escultor
se tornam calejadas
A mente do escritor
se torna desvairada

Um traz alegria aos olhos
E ambos ao coração

Não há mesmo razão
pra uma desvalorização
de quem a alma nos afaga
nos segura, nos traz cura
nos inspira, não nos pira

A beleza está nos olhos de quem lê
Assim, para todos os gostos
Artistas vão fazendo seu artesanato
Arrumando fios dentro de um prato

Quem precisar de pano de prato
pra enxugar lamentação
ou qualquer coisa que foi em vão
que busque ouvir o mato
o som do coração
a voz que o vento espalha

EXPIRAÇÃO

Pra gente andar equilibrada
Não deve ser avoada, nem muito avexada

Existe mil interpretações
pras coisas que se diz
Pras coisas que eu fiz
Limpeza ou poluição
Alegria ou sem perdão

Eu só nunca entendi
De ler a mente, ser vidente
Do que pensam de mim

Assim vivo mais livremente
Expirando o dentro pra fora
pois quando eu fico no avesso
me torno senhora
muito contente sem hora
pra veneno ou fofoca
Que isso, convenhamos,
é coisa de gente boboca

MEU AR, ONDE ESTÁS?

Um dia paixão fresquinha
pousou sobre minha dor

Perguntei-me se merecia
viver tão grande amor

Sendo tão bom de verdade
eu logo desconfiava
que de mim não se tratava

Mas com a mente bem clara
achei que errada não estava

É o Ar que começa
Todo meu alfabeto
É o Ar que com pressa
Me leva ao Z

Tento dar-lhe meu afeto
Temendo que seja
grão de areia no deserto

Ah! Se eu pudesse voar
Voava logo pro seu lado
Pra saber se estás ao meu
Se sou Marília de Dirceu
Ou só coração enganado

UM BRINDE AO AR

O ar limpa meu passado
e me afaga

A memória do teu beijo
esmaece um pouco

Quanto tempo até nos encontrarmos!
Ao te encontrar, me encontrei
Um clichê, mais um clichê

Esses versos tortos sopro apenas pra você
Brindo ao Ar, com Ar
Brindar com água traz má sorte
E da morte não sei o que dizer

Queridinho, queridinho
Não me tragas ventania
quando eu soprar
bobagens por aí

Queridinho, queridinho
Onde foi parar o vinho
Que naquele dia eu escolhi
E de você não me escondi

SENHOR DOS VENTOS

Senhor dos ventos,
Tu moves tudo ao meu redor
Trazes a paz que eu ansiava

Me cerco desses teus ares
que me fazem bem ao pulmão
ligado direto ao coração

Plantamos juntos uma árvore
e ela filtra nossos sonhos
apagando os pesadelos
semblante não mais tristonho
e pés não andando a esmo

Senhor dos ventos,
Esse querer bem que tu me tens
Me faz ver pura tua alma
Assim ando com calma
Sabendo que me tens

WINDSURF

Sob águas escuras já estive
Naufraguei e tudo mais
Até achar a paz

Por cima das águas está o ar
Surfamos nelas com o vento
Windsurf, wine surf

O seguir a vela
E essa vela sendo vermelha
Me acende uma centelha
Se me achas bela

Nosso esporte segue
Fazendo bem à intuição
Minha vida se ergue
só em tua direção

O AR DA POESIA

Vivo a poesia
De sentir os perfumes
Em demasia
De estar no cume
Da fantasia

Sinto o gosto da infância
Da seriguela tirada do pé
Dos pés descalços sem ânsia
De subir na mangueira
De perder as estribeiras

Ágata, a gata
me estende a patinha
Converso com ela
ela me lambe os dedinhos

Mas eu estava a falar de poesia...

Ela que fica mais doce
quando da janela escuta
os passarinhos
Pinta o dia de azul bem clarinho
Pra desapertar o colarinho

A noite quando adentra não traz medo
Só segredo, segredinhos, filhotinhos
Folhinhas que escrevo

SOPREMOS

Durante muito tempo distraída,
Não percebia os outros ao redor
Procurava uma saída
Que me trouxesse menos dó

Algumas sementes joguei por aí
Outras me foram dadas
Não considero uma obra acabada
Até saber quanto tem de mim

É preciso olhar pra cima
Arrumar a postura
Desacreditar em sina
Se o coração rasgou, costuras

Esqueça as sequelas
Abra as janelas
Use a reflexão
E não caminhe em solidão

O amanhecer é mais belo que o entardecer
Mude, mudemos, leve mudas
Mudas de plantas
Mudas de roupas
Saia e sopre!

TENHA PLUMAS

Quando os pássaros cantam
Lá no alto
Escutai.

Eles fazem seu ninho
Cantando, encantando
E nós, caminhando
Por vezes tentamos correr
e até voar como eles

Agora no ar, eu passarinho
Ainda pequeno
Mas fora do ninho
Vivendo, aprendendo

Se voar me subir a cabeça
Tomara que não me esqueça
De ajudar a quem não voa

Jogue as penas de si
Tenha plumas

Ergamo-nos e façamos o caminho
Respire, respire, respire
Não tema ventanias
É de vento que se faz poesia

CONSELHO AÉREO

Somos vento, somos instrumento

A vida é efêmera, aproveite o instante

Aprecie os monumentos

Compreenda os inconstantes

Acaricie o rosto

Sinta o gosto

Não beba o esgoto

BRISA VESPERTINA

Depois do almoço
a hora do sono

São meus cabelos brancos
tecendo um sonho

Bem devagarzinho
fecho os olhos da cara
e abro os da mente

Imediatamente
me edito a mente
e me preparo para a tarde

INSPIRAR

Inspire e conte até três
Se inspire com o filme da vez
Inspire rápido o ar
Pra devagarinho soltar

A calmaria é coisa boa
que a gente abraça pra vida toda
Não fique assim à toa
Amanhecer é uma escolha

Que amanheçamos todos os dias!

Abrace seus ídolos inspiradores
Sabendo que são gente como a gente
Sejamos agora agricultores
Plantando sempre alguma semente

SOPRA LETRINHAS

A mãe abre um livro
Outro universo está vivo

O vento sopra letrinhas
Aqui e acolá pra dentro do lar

A menininha que andava gripada
Vai colhendo as letrinhas
Aqui e acolá

Logo formou uma palavrinha
Que, a deixando tão contente
a gripe levou para lá

PURIFICAR

Danço contigo o que tu dançares
Pois que gosto de teus ares

Falo tua linguagem de mar e vento
Sendo eu a tua terra

Da terra subiu uma bola vermelha no ar
Era meu coração, que queria se doar

É meu colo que te quer aninhar
Te afogar as mágoas

Contigo eu viro brisa bem suave
Contigo, purificamos, viramos aves

POEMA MEU DE CADA DIA

Dia desses me contou um espertalhão
que escrever não dá sustento
Mas me traz tanto alento
ao coração
que como poderia eu
viver sem esse pão?
Andar sem respiração?

ALEGRIA E NOVO AR

O que me sopra o fio da vida
É o fio que se traça
às vezes um rabisco
ou desenho de um laço

Num verso você se desfaz
pra se reconstruir
Num verso você se disfarça
inventa seu boletim

E vocês, e toda a gente
que será que andam fazendo?
Esse papel é uma fazenda que
por vezes só diário
Escondido num armário
E no sonho, a livraria a livrar
Do mundo as tristezas
Que é pra trazer a vocês
Alegria e novo ar

TELA DO AR

A tela do ar
é a mais complicada de pintar
tanto verbo que rima
no entanto,
difícil selecionar

Qualquer erro na cor
faz rima com dor
num perfeccionismo amoroso
de exagerado colorido

A combinação precisa ser
precisa
fluxo criativo sem medo

Vou colorindo
pra por na parede
paredes que não me encerram
o coração

Vou colorindo o corpo
nos pés duas andorinhas
pra não voar sozinha

Na tela do ar
não me perco de mim

ÁRVORE DA PUREZA

A árvore da pureza
nasce de uma semente de cristal
e como tal
gera frutos de cristal

Seu tronco e galhos são prateados
ela não é aguada
Não nasce no solo
Só no coração
que não for de pedra
nem tão frágil quanto cristal
pois que o cristal que ela dá
é denso, de amante

Ela demora pra crescer
ela depende
de cada atitude e palavra dada
E de cada decisão
se enche um balde de cristal

É uma árvore que não se possui
é que se é

Seus frutos não devem ser guardados
devem ser doados
a quem necessitado estiver

PESQUISA DO AR

Se falar me fosse tão fácil
quanto respirar
assim inconsciente
tagarelaria nas padarias

Falar pra um fica mais fácil
Meu eu consciente

Ver alguém lendo meu livro
Oh, por favor, não me mates de vergonha
Leitor, não me peça esclarecimentos
Se é poesia
Se é meu eu lírico...

Não dependo só do ar que me cerca
se tem cheiro de maresia ou dos campos
se tem a poluição das selvas de pedra
Dependo também
de meus próprios pulmões
que sem fumaça se abrem
E
Se perdem no coração
Recebendo sangue com ar
Liberando sangue sem ar

RAJADA DE VENTO

Quando eles sorriram
os amigos
Foi como uma rajada de vento
abrindo caminhos
por entre flores dum imenso jardim

Eles, os sorrisos
como linguagem primitiva
sem destemperos de ironia
ou sarcasmo

Verdadeiros instantes de rajadas
que inflaram meus pulmões
Abrindo eu também
caminhos de alegria

Ah! Como fala um sorriso
Movendo coisas vivas
Removendo coisas mortas
Renovando, reciclando, recriando
A vida

O VÍCIO CRIA

Foram 3 minutos
enrolando tabaco
de jeito astuto
pensando no ato
de fazer poesia
Só que a rima não vinha!
Até acender o danado
e é assim
que o vício cria
mas a fumaça com pressa
logo dispersa

CONHECENDO NO VO AR

O azul dos seus olhos me diz
que as três valsas
eternas, descalças
tornaram o olhar mais feliz

Dancemos
Ao ar puro
Brinquemos
um segundo
Antes que o tempo nos arrase
Antes que tudo se desgaste
E o azul céu desapareça
com a chuva

Coma as uvas
que eu te der
Roxas verdes maduras
E se o mar se fizer
resssaca
Aceitemos:
se acaba

Mas até lá
O céu é mais azul
O mar mais verde
Eu a cantar
por conhecer-te

BRISAZUL

Se pudesse me lembrar
Da última brisa que em meu rosto soprou
Conseguiria passar
inteira pela ventania que me assolou

Se pudessse me lembrar
mas lembrar exatamente
dos sons e do gosto
do cheiro dessa brisa
não estaria em agosto
de gelo e coriza

Ai, aquela brisa
tinha cor e era azul
vinha de dentro do céu
me soprou pro sul
me soprou ao léu
brisa doce como fosse
sonho e acordei

ARREMESSADA AO VENTO

Uma folha em branco
é meu coração
Amarelo um tanto
por não ver solução.
Como diria Neruda,
"por não responder
ao que não me perguntam"
E fico carrancuda
por não viver
e ver que me estudam
os movimentos, gestos
de pessoa que engana
mostrando indigesto
tudo que ama

Uma folha em branco
amassada, arremessada
soprada pelo vento
é meu coração
que quando quente
se desfaz em cinzas

Ausente é meu coração
gelado e ranzinza
uma pedra para extração
uma folha com linhas
vazias e tortas
uma flor que definha
negra e morta

PROCURANDO NOVOS ARES

Procuro uma coisa
ídolo, musa
vida, morte
qualquer coisa
pra coisar num poema

Nada me inspira
e transpiro irritação
Hoje não teve passarinho na janela
Nem flores à mesa
Não teve nem sol nem chuva
o tempo ficou indeciso
o ar parado
eu espraiada
sem verso esperto ou bobão
sem nada a dizer do coração

BRISA DE PAZ

Ontem a praia estava tão calminha
o mar uma piscininha
na qual me deitei e deixei ficar
assim a sonhar e boiar
vi o mato e a cidade
vi tudo de longe
vi tudo sem saudade
É que no mar o ar é mais limpo
trazendo brisa de paz
e é salgadinho feito pipoca
o vento é gostoso
faz a gente sair do limbo
e se tornar generoso
Quando as mãos tocam a água
parece que a estamos nos entregando
ao mundo, a toda gente
as mãos não estão nada quebrando
não há ninguém descontente
Essa é a praia,
um lugar de paz
de casamento do céu com o mar
que o horizonte faz

BOLHAS

A espuma do mar
A espuma da cerveja
bem veja
que tudo depende do ar
aquelas bolhinhas de alegria,
vivemos dentro delas
e quando saímos,
que susto!
Conversar com gente estranha
Viajar sem levar mala
Sentir medo nas entranhas
Sair da própria sala
Mas é preciso
sempre estourar as bolhas
não ser conciso
mudar o dia ou a folha
atravessar mundos desconhecidos
fazer novas bolhas
pra um novo estourar concedido

ERA SOBRE O AR

Quanto tempo demora um livro?
Pra ser feito, desfeito, refeito
Um dia, semana, mês ou ano?
Se cada palavra for um problema
nunca se termina um poema
Se cada coisa tiver que rimar
Deus que me acuda!
Esse negócio de inspiração
é troço difícil, complicação
Tem dias que tudo
Tem dias que nada
E a gente nada nesse rio
Buscando um fluxo
Mas o pensamento logo afunda
e vai parar no bibelô em cima da mesa
esquece do principal elemento
e se deixa ficar
ah! era sobre o ar
a brisa, a ventania, a fumaça
qualquer coisa desse elemento
era isso mesmo
e nada feito

"NÃO" QUE PAIRA NO AR

Ventos parados
Teu "não"
paira sobre mim
e então
não faço mais nada
permaneço calada
desistindo de soprar
pra quem brisa não traz

O ar está pesado
Teu "não"
pesa sobre mim
e assim
não faço movimentação
permaneço no chão
desisitindo de estar
onde tu estás

CIGARRO

Meus pulmões não são de aço
pra seguir nesse compasso
de um cigarro atrás do outro
Eu quero ouro
pros órgãos adornar
Soprar fumaça sem culpa no ar

CHUVA DE VENTO

Chove
e a chuva leva embora
vestígios de fumaça
resquícios de desgraça
daquela que embota

Chove
e a chuva purifica os seres
Ela traz prazeres
aos cinco sentidos
pelo tempo corroídos

Chove
Lá fora e não cá dentro
dentro é condimento
que traz aos olhos aguaceiro
num tiro certeiro

Chove
e que chova mais
assim me sinto em paz

Chove, chuva de vento
Traz pra dentro
O amor que eu precisava

NOVA BRISA

Se estive muito doente
já não me lembro
Se estive descrente
foi em setembro

Agora me encontro bem
Bem crente no amor
Bem ciente do calor
que ele traz à alma

Agora me encontro bem
Não da cabeça
que essa não tem
nada normal ou que pareça

Agora me encontro bem
do coração
que esse tem
primavera por estação

Agora me encontro bem
e a intuição me vem
de que nova brisa vai bater
fazendo o medo se esconder
De que nova brisa vai chegar
pra me envolver e perfumar

VAPORES DOS SONHOS

Um livro aberto
ao vento do tempo
Um livro incompleto
tem suas páginas passadas
por brutas rajadas
As novas, futuras folhas esperam
por cafés que fumegam
no conforto de um lar
com ou sem par
Elas esperam
pelo trem ou alguém
que as trespasse e escreva
que viva e veja
dentro delas
paisagens belas
de vapores dos sonhos

GATINHA NO AR DO MEU LAR

Em memória de "Maionese"

Quando entraste na minha vida
Há nove anos
Não houve enganos
Sabia que juntas faríamos uma corrida

Eras apenas um filhotinho
e por esses anos te dei
muito carinho

No início eu não vi
que o dia haveria de chegar
que tu irias me deixar
Desde o início
te dei o ar do meu lar
e as mãos para arranhar

Gatinha, gatinha
de pelagem manchadinha
mais bonita que oncinha
Lambeu minhas feridas
me ensinou sobre a vida
e a morte

INCENSO

O incenso espalha seu perfume pelo ar
Diferente das flores
ele é tocado pelo fogo
alimentado pelo vento

O incenso é passageiro
A fumaça se dispersa
deixando seu cheiro

É pra quem não tem pressa
que passa o dia a se debruçar
em varandas e quintais
Que o incenso traz paz

Traz de tudo: felicidade
amor, saúde e prosperidade

Assim diz a caixa – e eu acredito

O AR EM SÃO PAULO

São Paulo, São Paulo
A cidade grande
tem o que me encante
São Paulo, São Paulo
quantos boêmios já pisaram
a tua Rua Augusta?
Teu ar poluído me atrai
como vaga-lume em volta da luz
E na Estação da Luz
quantos encontros e desencontros?
Quantos estranhos se esbarraram
na Estação da Sé?
Eu fico de pé
Pra esperar o metrô
em São Paulo, São Paulo

INSPIROU O AR BEM FORTE

Da janela do apartamento
Cheirava a fumaça dos carros
e a poeira dos aposentos

Dessa janela ela vivia
dias iguais de noites iguais

Quem ia, quem vinha, não via
Dessa janela, ela sempre distraída

Inspirou o ar bem forte
E comprou uma passagem de ida

Renovar de ambiente é uma sorte
Uma mudança assim de vida
É para acabar com a mesmice ocorrida
E esperar sempre a vida, nunca a morte

VAN GOGH PINTOU O VENTO

Van Gogh pintou o vento, o movimento
Bebendo o abismo do Absinto
Nos alimentou com seu talento

E eu sinto, eu sinto
azul com amarelo por dentro
Essas são as cores da felicidade
Elas se complementam
Pintando a cidade
Elas se cumprimentam
Na noite estrelada

Se eu fico verde e vermelho
Cuidado! É cilada
Essas são as cores da tristeza
Elas se complementam
no silêncio de uma igreja
Elas se cumprimentam
Descendo as escadas

AERADO

Poemas leves alucinados
a escapar pelos dedos
a escavar o passado
a esquecer o medo

Por vezes, somos ar puro
ouvindo e dando conselhos
nos sentindo seguros
ao olhar no espelho

Noutras, somos ar poluído
soltando injúrias
brigando consigo
falando lamúrias

Somos aerados
Desatentos, desvairados
Sopramos brisa
Recebendo ventania
e vice-versa

DO AR AO FOGO

Da leveza dos ares eu me despeço
Tenho cartão de embarque impresso
para onde houver fogo
Com ares de poesia eu me meço
e começo novo jogo
Saudades terei das brisas
com elas não houve briga
Aprendizado me trouxeram as ventanias
com elas eu sempre me reconhecia
Agora abro as asas e parto
Pra fora do meu quarto
Alimentar de ar o fogo

Made in United States
North Haven, CT
05 February 2023

32084833R00033